개구리와
두께비

경쟁하지
말고

도전하라

개구리와
두꺼비

조일현 지음

책들의정원

추천사

'조일현'이라는 한 인물이 또 한 권의 책을 발간했다. 조일현은 전문적으로 글을 쓰는 작가는 아니지만, 그동안 여러 권의 책을 발간하였는데, 그중에는 《광화문 아고라》와 같은 베스트셀러도 있다.

이번에 펴낸 《개구리와 두꺼비》는 내가 보기에는 일반 국민들과 함께하기 위하여 펴낸 '성인 동화집'이라는 생각을 한다. 그 부제가 '경쟁하지 말고 도전하라'로, 이 동화 속에는 인생을 살아가는 지혜와 철학이 듬뿍 담겨 있는 것이다.

추천사를 부탁받고, 나는 보내온 원고를 읽어보았다. 《개구리와 두꺼비》는 참으로 재미있고, 의미 있는 동화집이다. 구순을 넘긴 나도 고개를 끄덕이면서 몇 차례 의미 있는 웃음을 지을 정도였다. 그러면서 '어떻게 조일현이라는 사람이 이런 글을 쓸 수 있었을까'를 생각해보았다. 하지만 곧바로 이해가 되었다.

조일현은 남들이 보기에는 우람한 사람도 아니고 거구도 아니며 장신도 아니지만 그를 소인으로 보는 사람은 없다. 왜냐하면 그는 강원도 산골 화전민의 아들로 태어났지만, 지혜와 용기로 14대 총선에서 가장 나이가 젊은 국회의원이 되었고, 17대 국회에서는 국회 건설교통위원장을 지냈다.

가파르고 혹독한 세상을 이겨낸 사람이다. 나는 1992년부터 그를 알고, 함께해왔다. 도전을 즐기는 조일현의 후원회장으로 줄곧 지내오면서, 그의 인간됨과 삶을 지켜봤다. 그는 어떤 역경에 처해도 비관하거나 힘겹다고 말한 적이 없다. 입장이 궁지에 몰렸을 때 그는 중국 북경대학에 가서 박사학위를 받아서 돌아올 정도로 여유가 만만한 사람이다. 미국이 남북전쟁을 눈앞에 두었던 시기, 에이브러햄 링컨

Abraham Lincoln의 맞수로 널리 알려졌던 스티븐 더글러스 Stephen Douglass를 작은 거인이라 불렀는데, 나는 그런 면에서 조일현은 이 시대의 작은 거인이라 생각한다.

아직도 젊고 패기 넘치는 조일현은 모두의 밝은 세상을 꿈꾸며 이 글을 썼다고 생각한다. 자신이 경험하고 살아온 삶을 토대로 쓴,《개구리와 두꺼비》라는 책의 발간을 축하하며 많은 독자들이 반겨주고, 읽어주길 희망한다. '우리는 희망을 포기할 수 없다.' 개구리와 두꺼비의 대화를 통해 새로운 도전을 시작하는 이들이 많아지길 기대해본다.

2019년 6월

연세대학교 명예교수

92수 **김동길**

머리글

생일날의 생각을 정리해보았다.

누구나 생일이 있다. 그 생일은 기억해주는 사람이 있을 때 비로소 의미가 살아나고 기쁨이 더해진다.

세월이 가면서 자신의 생일을 먼저 말하지 못하는 이유가 바쁨과 기억력 탓만은 아니라는 것을 점차 느끼게 된다. 아내와 아이들이 부른다. 나는 오늘이 생일이다. 누구나가 그렇듯이, 생일날은 크고 작은 생각을 한번쯤은 하게 된다. 나도 그런 하루를 시작했다. 배가 고픈 세상을 살 때는 남의 생일도 꼼꼼하게 기억하며 살기도 했었다. 형편이 나아지고 바쁨이 더해지면서 자신의 생일도 시들해지고 남의 생일은 필요할 때만 기억하는 것이 일반적인 세태가 되어가고 있다.

형편과 바쁨은 단지 핑계와 구실일 뿐, 진정한 이유는 될 수 없다. 구실과 핑계가 늘어만 가는 세상을 살면서, 차라리 배고팠던 그 시절의 생일날을 떠올리는 것은 사치일까? 나는 오늘 그런 생일을 보내면서 깊은 생각을 해보았다.

'우리는 지금 무엇 때문에, 무엇을 위하여 복잡하고 벅찬 세상을 바쁘게만 살고 있는 것일까? 좀 더 마음에 여유를 갖고 의미 있는 삶을 살 수 있는 방안은 없을까?'

그동안 살아온 삶을 돌아보면서 반성과 성찰을 거듭해보았다. 그리고 정리해보았다. 사는 방식과 생활수칙, 관계 설정과 판단 요령 등….

'나 자신의 생일을 먼저 말하고, 남의 생일도 기억하고 챙기면서 배고픔 때문이 아니라 사랑과 추억이 묻어나는 삶을 살기 위한 나름의 방안들을….'

개구리와 두꺼비

아내와 딸과 아들을 생각하면서 그런 생각과 마음을 적었다.

'개구리와 두꺼비'를 통해 보는 이야기 속에서 나와 우리 가족도 새로운 삶의 약속과 다짐을 할 수 있기를 소망하면서….

글의 내용을 더 깊고 친근하게 느낄 수 있도록 책 표지의 제목 글씨를 디자인해주신 최인숙 교수님과 삽화를 그려주신 유환석 화백님께 깊은 감사를 드린다.

2019년 4월

차례

13   I

상담사연

45   II

물어보기

개 구 리 와 두 꺼 비

상담사연

물어보기

일러주기

깨워주기

빨래터 바위 옆 풀숲의 돌 틈에 사는 개구리가 외양간 뒤 거름더미 옆에 굴을 파고 사는 두꺼비를 찾아갔다. 개구리가 두꺼비를 찾아간 이유는 오랫동안 쌓인 궁금증을 풀기 위해서였다. 그 궁금증은 다름이 아니라 여인네들이 빨래터에 나와서 빨래를 하며 주고받는 이야기 중에 들려오는 도저히 이해할 수 없는 말로 인한 것이었다.

배울 만큼 배우고 살만큼 산, 자기가 잘났다고 생각하는 개구리가 또다시 그 말을 듣고는, 궁금증을 넘어 불공평하다는 생각이 들었기에 씩씩거리며 곧

개구리와 두꺼비

바로 두꺼비 집으로 향했다.

개구리를 궁금하게 하고 화가 치밀기까지 하게 하는 여인네들의 말은 바로 "아무개가 떡두꺼비 같은 아들을 낳았데, 떡두꺼비 같은 손자를 보았데"하는 말이었다.

빨래터 맑은 물에 사는 개구리가 두엄더미 옆에 사는 두꺼비와 서로를 비교해볼 때, 여인네들의 그 표현은 말도 안 된다는 생각에 '사람들의 잘못된 인식을 바로 잡아야 한다'는 목적을 가지고, 우선 그 원인을 알아보고자 냄새나는 동네에 사는 두꺼비를 찾아간 것이다.

개구리가 두꺼비를 찾아간 때는 여름이 익어가는 개구리의 날인 그해 9월 9일 9시였다.

이틀간 곱게 내리던 비가 새벽에 그치고 나니, 동네 여인들은 뜨는 해를 바라보며 일찍부터 밀린 빨래를 들고 빨래터로 모여들었다. 그리고는 며칠간 쌓인 동네 소식들을 주고받으며 익숙한 손놀림으로 경쟁하듯 빨래를 했다.

오랜만에 빨래터 수영장에서 수영을 즐기던 개구리는 사람들이 오는 소리를 듣고는 재빨리 자기 집으로 들어갔다. 그리고는 여느 때와 같이 여인네들이 전하는 동네 소식들을 온갖 수다와 함께 들었다.

그날도 '그 말'은 사람이 바뀔 때마다 어김없이 반복되었다.

"아무개는 떡두꺼비 같은 아들을 낳았데, 손자를 보았데."

개구리와 두꺼비

"그래? 참 잘됐네. 동네 꽃이 핀 거야. 더 많은 아기 꽃이 피어야 하는데, 젊은 새댁도 떡두꺼비 같은 아들 둘만 더 낳아."

"하나도 키우기 힘든데 둘을 더 낳으면 무슨 수로 키워요."

새댁은 머리를 절레절레 흔들며 빨래를 했다.

그 광경을 바라보며 듣고 있던 개구리는 '떡두꺼비 같은 아들'이라는 말에 울화가 치밀어서 대충 단장을 하고는 껑충껑충 뛰어서 단숨에 두꺼비 집 앞에 도착했다.

한손은 코를 쥐고 두꺼비를 불렀다.

"두껍아, 나 빨래터에 사는 개구리인데 이야기 좀 하자."

목소리도 크고 낭랑한 개구리 소리를 들은 두꺼비는 거울을 보면서 의관을 갖추고, 항상 잘난 체하는 거만한 개구리를 맞이하고자 엉금엉금 기어서 굴 밖으로 향했다.

굴 앞에서 기다리던 개구리는 동작이 느린 두꺼비를 마음속으로 흉보며 재촉했다. "뭐 하는 거야?, 왜 빨리 안 나와?" 개구리는 더 큰 소리로 굴속을 향해 소리 질렀다. 때마침 굴 밖으로 기어 나오던 두꺼비는 한 손으로는 코를 막고 다른 한 손은 입에 대고 소리치는 개구리를 보면서, 점잖은 목소리로 물었다.

"아침 일찍 누추한 우리 집을 찾은 이유가 무엇이냐?"

개구리와 두꺼비

코를 쥔 개구리는 질문에는 답도 안하고 두꺼비가 집 안으로 들어오라는 말을 하기도 전에 펄쩍펄쩍 뛰어 두꺼비의 집으로 들어갔다.

거름 냄새를 참기 힘들었던 개구리는 그래도 굴속이 좀 나을 것이라고 판단했기 때문이었다. 굴속에 들어간 개구리는 굽이굽이 꺾인 굴을 조금 지나자 너무도 놀라운 현상을 발견했다. 거름 냄새는 산네없고, 맑고 깨끗한 공기와 잘 정돈된 집안 분위기에 크게 놀랐다.

엉금엉금 뒤따라 들어온 두꺼비는 덧문을 닫으며 "집안이 누추해 미안하다"는 인사를 거듭했다. 그리고는 향기 나는 차와 간식을 주면서 개구리에게 먹어보라고 권했다. 덧문을 닫고 다과상까지 받은 개구리는 평소 자신의 생각과는 달리 두꺼비의 집이 마치 칠성급 호텔 같은 느낌이 든다고 생각했다.

그 순간부터 개구리는 평상시 우습게 생각했던 두꺼비가 실상은 다르다는 사실을 느끼기 시작했다. 두꺼비가 말했다.

"뒤쪽 위로 환기 구멍을 뚫어 놓았어, 코 안 잡아도
돼."

개구리는 자세를 고쳐 앉으면서 기죽은 목소리로
예고 없이 일찍 찾아와서 가벼운 행동으로 무례하게
행동한 것을 사과했다.
두꺼비는 별말을 다 한다며 방석을 내어주었다. 방
석은 물을 담은 함지였다. 두꺼비는 함지 속 물방석에
앉은 개구리를 바라보며 물었다.

"무슨 일로 그렇게 급히 찾아왔느냐?"

그 순간 개구리는 망설였다. 자신이 찾아온 이유를 말하기가 너무도 쑥스러웠기 때문이다. 머뭇거리는 개구리를 보고 두꺼비는 말했다.

"무슨 일인지 부담 갖지 말고 말해봐."

성격만큼이나 솔직하고 급한 개구리는 두꺼비에게 양해를 구하면서 찾아온 이유를 말했다.

"두껍아! 미안하다. 오해 없이 듣고 너의 생각과 느낌을 말해줘라. 나는 항상 너를 바라보면서 이해할 수가 없었어. 왜 좋은 환경도 많은데, 외양간 뒤편 거름더미 옆에 굴을 파고 사는지, 튼튼한 체력을 가지고 왜 걸음을 그렇게 엉금엉금 늦게 걷는지, 말소리, 노랫소리는 왜 그렇게 둔탁한지, 피부가 그렇게 꺼칠꺼칠한데 관리는 왜 안 하는지 등 궁금하고 의아한 점이 많았어.

더욱 뜻밖이고 이상한 일은 그럼에도 불구하고 사람들은 항상 그런 너를 칭찬하고 보호하며, 심지어는 은혜를 갚는 영물이라고 평하고, 아이를 낳으면 떡두꺼비 같은 아들을 낳았다고 말하며 기뻐하고 축하하는 말들을 한다는 거야. 그 말을 들을 때마다 쉽게 이해할 수가 없었다. 가끔은 시기와 질투심이 생기더라.

나는 오늘도 그 이야기를 듣고 네가 그렇게 좋은 인상을 주고 평가받는 이유를 알고 또 배우고 싶어서 너를 찾아왔어."

마음속에 들어 있는 시기와 질투심은 숨기고 개구리는 두꺼비에게 물었다. 커다란 눈을 껌벅이며 끝까지 듣고 난 두꺼비가 입을 열었다.

"개굴아! 뭐 그런 일을 가지고 먼 길까지 왔니? 별일도 아닌데…."

차를 한 모금 마신 두꺼비는 침착하게 말을 시작했다.

"개굴아! 너도 알고 있듯이 이 세상의 모든 생명체들은 각기 다른 개성과 품성이 있지 않니? 그 개성과 품성에 따라 저마다 다른 삶을 살고 있는 것이라 생

개구리와 두꺼비

각한다. 그렇게 생각하지 않니?

개굴아! 네가 사는 방식이 나와 다른 것은 바로 너와 나는 개성과 특성이 다르기 때문이고, 그에 따른 사람들의 인식과 평가도 나름의 기준이 있을 것이라 생각한다. 너는 그렇다고 생각하지 않니?"

개구리는 두꺼비의 질문에 엉거주춤한 자세로 턱밑을 발랑거리며 동의했다. 두꺼비는 머쓱해 하는 개구리의 눈을 맞추며 말을 이어갔다.

"개굴아! 나는 항상 네가 부러웠다. 너는 나와 달리 사는 환경이 너무도 깨끗하지 않니? 수영장도 있고 깨끗한 물에 높은 바위가 있어 다이빙도 할 수 있고 어여쁜 여인네들이 동네 소식도 전해주고 얼마나 좋은 환경이니. 또 너는 쭉 빠진 몸매에 피부는 최고의 건강미가 넘치지. 너의 높이뛰기, 멀리뛰기, 빨리 뛰기 실력을 볼 때마다 나는 네가 한없이 부러웠다!"

개구리는 두꺼비의 칭찬과 격려에 팔다리를 서서히 움직이며 여유 있는 자세로 대답했다.

"그래도 사람들은 '개구리 같은 아이를 낳았다'고 하지 않아!"

여전히 불만족스러운 표정을 짓는 개구리에게 두꺼비는 격려의 말을 더했다.

"개굴아! 너는 내가 아무리 애를 써 봐도 흉내조차 낼 수 없는 천상의 목청을 가지고 있지 않니? 너는 그것 하나만으로도 모든 이들의 부러움의 대상이 되고 있다는 것을 자랑스럽게 생각해라! '개구리는 목청도 좋다'는 사람들의 노랫말도 있단다."

개구리와 두꺼비

개구리는 두꺼비의 그 말을 듣고는 또렷한 목소리로 그건 그렇다고 대답했다. 개구리의 얼굴에서 의혹과 시기와 질투의 표정이 눈빛과 함께 사라지는 것을 알아차린 두꺼비는 작심한 듯 말했다.

"개굴아! 일생을 경쟁하지 말고 도전하며 살아라. 남과 같은 일을 가지고 경쟁하면 피곤하고 적이 생기며, 잘해도 2등 하기가 힘든 법이다. 반면 남이 안 하는 새로운 것에 도전하면 자신과의 싸움이기 때문에 남과 경쟁할 이유가 없고 잘 못해도 늘 1등이라는 것을 알아야 한다. 최고의 기록은 깨지지만 최초의 기록은 깨지지 않는 법이지."

옳고 맞는 이야기만 하는 두꺼비를 바라보며 개구리가 말했다.

"두껍아, 그동안 미안했다. 아니, 잘못했다. 왜냐하면 나는 너를 우둔하고 느린 엉금이라고 놀리고 흉보는 게 습관화되어 있었다. 하지만 오늘 나는 너에 대한 인식이 180도 바뀌었다.

두꺼비 너는 사람들의 표현처럼 영특하고 축복의 기운을 몰아다 주는 친구라는 사실을 확인했다. 두껍아, 우리 좋은 친구가 되자."

개구리는 함지 방석에서 나와 두꺼비에게 악수를 청했다. 두꺼비의 두툼하고 거친 손을 두 손으로 잡고 흔들며 개구리는 두꺼비에게 좋은 이웃이 될 것을 다짐했다. 다른 이를 볼 때 겉만 보고 평가해서는 안 된다는 생각과 함께 남을 놀리거나 흉봐서는 절대 안 된다는 반성도 했다.

개구리와 두꺼비

언제나 변함없는 자세로 남과의 관계를 유지하며 살아가는 두꺼비는 모든 일을 경쟁하듯 말하고 행동하는 개구리가 자신의 말을 듣고 변하는 모습을 보면서, 잘난 체히고 뺀질거리며, 두꺼비의 약점을 말하고 흉내 내며 놀리던 교만했던 개구리를 마음속으로 용서했다.

개구리의 표정과 행동에서 진정성과 순수함을 보았고 느꼈기 때문이다. 두꺼비는 개구리에게 도리어 고맙다는 인사말과 함께 자신이 개구리에 대한 그동안의 편견과 오해를 사과했다.

"개굴아! 나도 널 지금까지는 좋은 친구와 이웃으로 생각하지 않았다. 크게 울고 웃는 네 목청을 부러워하기도 했지만, 항상 입을 다물지 않고 울어대고 불러대는 너를 동네를 시끄럽게 하는 녀석이라고 불평했었다.

뿐만 아니라 눈만 뜨면 올려 뛰고 내려 뛰고 첨벙거리며 네 몸길이의 몇십 배의 거리를 쉬지 않고 왔다 갔다 들뛰는 네 모습을 볼 때마다 이웃에 대한 배려 정신이 없는 놈이라고 크게 불만을 가졌었다.

　아마도 네가 갖고 있는 좋은 목청과 민첩성을 갖지
못한 나였기 때문에 더욱 그런 불평과 불만을 했다는
것을 남들은 다 알았을 거야. 남의 장점과 잘 되는 것
을 인정하고 칭찬하는 것에 인색한 세상 아니니, 나
도 별수 없는 삶을 살고 있다는 생각을 하게 됐다. 개
구리 네 덕분에 말이다."

　턱을 발랑거리며 두꺼비 말을 들은 개구리는 크게
감동을 받았다. 개구리는 말없이 두꺼비의 양손을 다
시 잡으면서 자신의 부족했던 생각과 표현 그리고 행
동에 대하여 부끄러움을 느끼면서 두꺼비에게 말했다.

　"우리 앞으로 좋은 친구, 착한 이웃이 되자! 그리고
너는 사람들이 왜 아이를 낳으면 떡두꺼비 같은 애를
낳았다고 하는지를 모른다고 했지만, 내가 볼 때 생
각하고 말하고 행동하는 순서와 표현하는 기준 그리
고 처신을 볼 때, 그런 말을 듣고도 남을 만한 충분한
자질이 있다는 것을 오늘에서야 알았다. 참으로 본받
고 싶구나."

개구리는 청아한 목소리로 노래하듯 두꺼비에 대한 품성과 태도를 칭찬했다. 개구리의 진정성을 알고 난 두꺼비는 좋은 친구 착한 이웃이 되기 위해, 내친 김에 자신의 집을 찾은 개구리에게 자신의 삶과 생활 방식을 말해주기로 했다.

자신의 모든 짐을 있는 그대로 솔직하게 말하고 보여주는 것이 필요하다고 생각했기 때문이다.

"개굴아! 네가 나를 찾아온 이유를 말할 때, 나의 모습과 행동을 보고 사람들이 나를 긍정적으로 생각하고 좋게 평가하는 것에 궁금함을 넘어 도저히 이해가 안 가고 심지어 화가 난단 말을 했지?"

개구리는 부끄럽고 머쓱해서 눈을 감으며 머리를 끄덕였다. 두꺼비는 말을 이어갔다.

"개굴아! 네가 궁금해하고 이해하지 못 하는 게 당연해. 앞으로 우리들의 좋은 관계를 위해서 나 자신의 삶을 솔직하게 있는 그대로 너에게 고백할게."

개구리는 호기심 넘치는 표정으로 두꺼비 곁으로 다가가 앉았다.

두꺼비는 순서대로 말했다.

"개굴아! 내가 왜 두엄더미 옆에 굴을 파고 사는지 아니?"

개구리는 당연히 알지 못하기에 고개를 가로저었다.

"이렇게 모두가 싫어하는 곳에 집터를 마련하는 것은 남으로부터 나를 보호하기 위해서야. 빨래터는 분주하지만 두엄더미는 조용해. 누구나 냄새를 싫어하니까. 그리고 두엄더미에는 먹을 것이 많아. 파리와 곤충이 자주 찾아오거든. 땅속에는 지렁이와 다른 벌레들도 있지. 그리고 사람들은 내가 제일 좋아하는 보양식 중 하나인 꿀벌 통을 외양간 뒤 처마 밑에다 놓아둔단다. 왜냐하면 아이들이 놀다 벌통을 건들면 벌에 쏘일 수 있기 때문에 그런 일을 방지하기 위해서지.

나는 하루 세 번 식사를 꿀벌만 잡아먹을 때도 있단다. 그럴 때마다 나는 지키는 생활 수칙이 있다. 우선 자세는 벌통을 바라보고 앉아야 돼. 그래야만 나오는 벌을 혀로 낚아챌 수 있고 꽃가루를 달고 들어오는 벌을 쉽게 잡아먹을 수 있어. 벌통 옆에 앉을 때는 가능한 태연하게 자세를 가다듬고 피부 색깔은 되도록 주변 분위기와 동화될 수 있도록 위장을 해야만 편리하고 효율적이더라.

또 중요한 것은 벌을 잡아먹는 시간, 즉 식사 시간은 사람들이 밥을 먹는 시간에 맞춰서 같은 시간에 해야만 안전하게 먹을 수 있어. 그래야 사람들을 피하고 움직임이 느린 내가 맘대로 행동할 수 있거든. 특히 중요한 점은 절대 한꺼번에 벌을 많이 잡아먹지 않는 거야. 내 배를 꽉 채우겠다는 생각은 절대 하지 말아야 해.

벌의 개체 수가 눈에 띄게 줄어들면 주인이 의심하게 되고 그렇게 되면 생활 리듬이 깨지게 된단 말이야. 그리고 너처럼 소리 내서 울면 안 돼. 나의 행동과 은신처가 드러나기 때문이지. 나도 사실 소프라노 흉내는 못 내지만 바리톤 성악가나 가수 기질은 있어. 그래도 참는 거야."

개구리는 두꺼비의 주도면밀한 생활 방식과 수칙에 숨이 차오를 정도였다. 두꺼비는 또 말했다.

"너는 나를 보고 왜 엉금엉금 기느냐고 물었지? 그건 아주 간단해. 살아남기 위해서야. 개굴아 나는 너희 식구들이 회초리에 맞아 죽거나 사람들에게 뒷다리를 잡혀서 머리를 돌에 부딪치거나 땅바닥에 메쳐져 죽는 모습을 많이 보았다. 그건 너희들이 너무 빠르고, 시끄럽게 울어대고, 분주하기 때문이라고 생각하지 않니?"

개구리는 그 이유가 맞는 것도 같았다. 그러는 순간 두꺼비는 결정적인 말을 했다.

"개굴아 우리가 오래 살기 위해서는 꼭 기억해야 할 일이 있다. 그것은 잘난 체하면 안 된다는 것이야. 항상 조용한 가운데 진중하게 말하고 행동하여 상대에게 신뢰를 얻어야 해. 너처럼 뛰지 않고 나처럼 엉금엉금 기는 모습을 사람들은 귀엽고 안쓰럽게 보는 거야. 그리고 나는 건드리기 전에는 소리도 안 지르고 뭐라고 하지도 않아. 사람들이 회초리로 때리기는커녕 느린 나를 안전하게 들어서 옮겨주거나 기다려주지. 지나갈 때까지…."

"나는 그때마다 눈을 껌벅이며 고맙다는 인사를 빼놓지 않는단다. 심지어는 나를 굴리고 밀어내도 살려주는 것에 대한 감사를 꼭 표시한단다."

개구리는 참으로 많은 것을 느끼고 깨닫는 순간이었다. 두꺼비는 또 말했다.

"개굴아! 왜 나보고 피부 관리를 안 하느냐고 물었지? 그건 천성이라고나 할까. 부모님이 주신 선물이야. 갑옷인 셈이지. 내가 사는 곳은 좀 지저분하거나 추운 굴속이지. 나는 환경에 적응하느냐고 더덕더덕한 피부로 오염을 방지하고 추위를 이긴단다. 개구리네 피부는 그냥 매끈하지만, 내 피부는 갑옷과 같단다.

개구리는 들을수록 두꺼비의 이야기 속으로 빠져들어 갔다. 그리고 두꺼비의 긍정적인 사고방식과 배려와 격려가 가득한 말솜씨에 머리가 절로 숙여졌다. 사람들에게 좋은 말을 듣고 훌륭하게 평가받을 만한 두꺼비라고 생각했다.

두꺼비는 큰 몸집을 바로 잡으면서 크게 호흡을 한 번 하고는 감았던 큰 눈을 뜨면서 개구리를 보며 말했다.

개구리와 두꺼비

"개굴아! 다시 한번 너에게 사과한다. 나는 오늘 너를 만나서 너에 대한 새로운 모습을 보았고 그동안 가졌던 너에 대한 편견과 오해에 대하여 반성을 하게 되었다.

나는 그동안 너를 거만하고 또 교만한 이웃으로 보았는데, 나의 말을 끝까지 진지하게 들어주는 너의 자세를 보면서 진정성을 가진 착한 친구라는 것을 새삼 느꼈다.

남의 말을 끝까지 경청하기는 쉽지 않은 일이거든. 그래서 사람들은 가장 말을 잘하는 것은 남의 말을 잘 들어주는 것이라고 하지."

개구리는 시기와 질투심에 두꺼비를 찾아왔는데 두꺼비가 도리어 칭찬하듯이 자기를 치켜세우는 말을 하는 것을 보면서 두꺼비의 처세술에 또 한 번 놀랐다.

개구리는 두꺼비를 찾아올 때의 기분과 감정은 간데없고 도리어 부끄럽고 숙연한 마음만 가득 차올랐다.

그 순간 두꺼비는 개구리에게 칭찬과 격려의 이야기를 해주었다.

"사실 나는 지금까지 너를 빨래터의 세 들어 사는 겁 많은 뺀질이라고 놀렸는데, 오늘 너의 태도를 보면서 빨래터 주인은 바로 너라는 생각을 했다. 왜냐하면 네가 없으면 누가 그 많고 깨끗한 물을 지키고 감시하겠니? 또 네가 큰 목소리로 알려주지 않으면 여인네들이 마음 놓고 편하게 수다를 할 수 있겠니? 넌 듣기만 하지 말을 전하지는 않는 성격이니까 말이야.

살면서 뒷말이나 하고 한 입으로 두말하면서, 흉이나 보고 남 탓하는 것, 특히 들은 말을 못 참고 남에게 전하는 일은 절대 해서는 안 된다고 생각한다. 개굴아! 그렇게 생각하지 않니?"

개구리는 두꺼비의 가슴을 찌르는 말에 몸 둘 바를 몰라 했다. 그러면서 그동안 자신이 살아온 과거를 돌아보면서 새롭게 마음먹었다. 개구리는 말했다.

"두껍아! 고맙다. 나의 단점을 꼬집지 않고 그렇게

말해주는 네가 참으로 부럽다. 나도 앞으로는 너와 같이 생각하고 말하고 행동해보고자 노력할게. 많이 도와줘라 두껍아!"

두꺼비는 오른쪽 손을 들어 가로저으면서 개구리에게 "무슨 그런 말을 하느냐"면서 웃었다. 자신의 이야기를 듣고 이해해주는 개구리가 고맙게만 느껴졌다. 그리고는 겸연쩍은 모습으로 턱 밑을 벌렁이며 침을 삼켰다.

개구리도 따라서 같이 턱 밑을 발랑발랑거리며 두꺼비에게 친근감을 표시했다. 개구리와 두꺼비는 그렇게 서로 간의 오해와 편견을 풀고 진심으로 마음의 문을 열기 시작했다. 개구리는 두꺼비의 믿음직한 행동에 점점 빠져들어 갔다.

혹 떼러 왔다 혹 붙이고 가는 꼴이 된 개구리 신세가 되었다. 여인네들의 두꺼비에 대한 칭찬이 부럽고 못마땅해서 찾아온 두꺼비에게 도리어 매료당하고 있는 개구리는 자신이 의심스럽기까지 했다.

두꺼비에게 너무도 많은 것을 느끼고 배운 개구리는 더 좋은 자신의 삶을 살아가야겠다는 생각으로 지금까지 두꺼비가 자신에게 들려준 이야기 중에서 중요한 내용들을 쉽게 정리해서 다시 한 번 말해달라고 부탁하기로 했다. 개구리는 두꺼비에게 바짝 다가앉으면서 애교 넘치는 목소리로 두꺼비에게 말했다.

"두껍아! 사실 나는 처음에는 너의 말을 귀담아듣지 않았어. 네가 사람들로부터 칭찬 듣는 게 못마땅했거든. 시기와 질투심도 품었었지. 그런데 지금은

개구리와 두꺼비

아니야. 들을수록 네 말이 옳고 맞았기 때문이야.

그래서 말인데 지금까지 네가 한 말 중에 내가 이해가 잘 안 되거나 좀 더 깊이 알고 싶은 게 있는데, 내가 물을 테니 몇 가지만 알기 쉽게 정리해서 말해줄 수 있겠니? 진심으로 부탁한다."

언제나 그랬듯이 두꺼비는 고개를 쳐들면서 눈을 감고 다시 생각했다.

버티고 앉은 자세는 안정감이 있고 아주 의젓했다. 마치 벌통 앞에서 사정없이 벌을 잡아먹을 때처럼….

한참을 생각하던 두꺼비는 언제나 그랬듯이 꿀꺽 침을 삼키며 눈을 떴다. 그리고는 조심스레 입을 열었다.

"개굴아! 네가 말하는 내용은 내가 무슨 뜻인지 잘 알겠는데, 과연 내가 부족함이 없다고 생각되는 너에게 무슨 자격으로 그렇게 크고 깊은 이야기를 해줄 수 있겠니?"

두꺼비는 점잖게 사양했다.

매사에 신중한 자세로 대처하는 두꺼비다운 결정이고 표현이었다. 개구리는 놀라는 눈빛으로 조금 당황했다. 왜냐하면 두꺼비가 쉽게 자기의 부탁과 질문을 받아줄 것으로 생각했는데, 예상과는 달리 두꺼비가 정중하게 사양을 했기 때문이다. 개구리는 자세를 고쳐 앉으며 말했다.

　　"두껍아! 나는 오늘날까지 살아오면서 너처럼 진지한 삶을 살지 못했어. 일생을 통해서 어떤 삶을 살아야겠다는 꿈도 없이 그냥 살았어. 한마디로 '어제 같은 오늘, 오늘 같은 내일'을 생각나는 대로, 마음 가는 대로 하루하루를 보냈지. 나만 그런 것이 아니라 개구리 가족 전부 그런 습관에 익숙해져 있단다. 근심과 걱정이 있을 뿐이지. 우리 개구리들은 새와 뱀 같은 천적들을 철저히 경계하면서 안전을 지키는 게 문제이고, 두려운 것은 공부하는 학생들에게 잡혀서 해부학 실험용으로 수술대에 오르는 것이며 가장 무서운 것은 두꺼비 네가 말한 것처럼 사람들에게 강한 회초리를 맞아 죽거나 뒷다리를 잡혀서 돌에 머리를 부딪치거나 땅바닥에 메쳐져서 죽는 것이란다. 그래서 개구리들은 서로 숨고 피하려고, 그렇게 서로의 안전을 위해 신호를 주고받으며 소리쳐 우는 거야.

두껍아! 너를 만나서 새롭게 느낀 것은 일생을 단순하게 소극적으로 안주하며 사는 것이 아니라 적극적으로 개척하며 사는 것이 보람 있는 삶이라는 생각을 하게 됐다.

살아남기 위해서 조금 더 먹고, 더 좋은 것을 갖기 위해서 경쟁하는 것보다 네가 말한 대로 새로운 것에 도전하면서 사는 것이 나 자신에게도 우리 개구리 가

족 전체에게도 도움이 된다는 것을 깨닫게 되었단 말이야.

두껍아! 그래서 너한테 애원하는 거야. 어떻게 하면 너처럼 남들, 특히 사람들로부터 칭송과 사랑을 받을 수 있는지, 친구와 이웃의 자격으로, 경험과 교훈을 이야기해주길 다신 한번 부탁한다."

개구리의 진심 어린 부탁을 다시 받은 두꺼비는 개구리에게 동의를 구했다.

"개굴아! 진정 자신에게 필요한 말은 대개 칼로 찌르는 것보다도 마음이 아픈 경우가 많은데 감내하고 들을 수 있겠니?"

개구리는 전적으로 동의했다. 생각이 깊고 경험 많은 두꺼비는 개구리의 동의를 받은 뒤에, 자세를 바로 세우며 다정하지만 위엄 있는 말투로 입을 열었다.

"개굴아! 사실 나는 네가 듣고 싶어 하는 이야기들을 이미 나의 말과 행동으로 다 표현했다고 생각한다. 그러나 네가 초기에는 잘못 들었고, 이해가 잘 안 되거나, 머릿속에 정리가 잘 안 된다고 하니 작은 경

개구리와 두꺼비

험이고 생각이지만 정리해서 말해주겠다. 너는 너의 질문을 받고 내가 대답해 달라고 했는데, 효율적인 진행을 위해서 내가 너에게 먼저 질문을 하고 그에 맞는 대답을 하는 것으로 하자."

개구리는 "그 방법도 좋겠다"고 말했다. 두꺼비는 개구리에게 솔직하게 자신의 물음에 대답하라면서 물었다.

개
구
리
와

두
꺼
비

_____

1 왜 사니?

"개굴아! 너 왜 사니?"

개구리는 두꺼비의 갑작스런 질문에 대답은 없이 큰 눈망울을 고정시키며 턱밑 주머니만 발랑거렸다. 두꺼비는 재차 물었다.

"사는 이유가 있을 것 아니냐! 죽은 이들도 다 죽은 이유가 있다는데 사는 이유가 없다면 그건 아주 큰 문제가 아니냐?"

개구리는 단순한 물음에도 뚜렷한 대답을 즉각 못하는 자신이 부끄럽고 당황스러웠다.

"먹고 살기 위해 산다는 것도 답이 될까?"

개구리와 두꺼비

주저하며 떠듬떠듬 말하는 개구리에게 두꺼비는 말했다.

"살기 위해 먹는 게 아니고?"

개구리는 머리를 한 대 세게 맞는 기분이었다. 두꺼비는 말했다.

"단순한 그 질문에 명쾌하게 대답하는 이가 아주 드물지. 대다수가 생각 없이 일생을 살고 있다는 증거야. 좀 더 명확한 삶의 철학이 필요해."

개구리는 두꺼비에게 삶의 철학을 찾을 수 있는 좋은 경험이나 교훈을 들려달라고 했다.

2　　　　　　　　　　　뭘 할 건데?

　개구리의 둘러대는 대답을 듣자마자 두꺼비는 다
그치듯 물었다.

　"그럼 앞으로 뭘 하면서 살 건데?"

　개구리는 "정식으로 수영장, 노래방, 헬스장 등 돈
되는 사업을 해서 어려운 이웃도 돕고 봉사도 하는
삶을 살아가고 싶다"고 대답했다.

　두꺼비는 개구리의 사업 구상을 듣고는 말했다.

　"일상적으로 즐기는 취미생활도 좋지만, 그렇게 분
명한 삶의 목표와 목적을 가지고 살면, 참으로 보람
되고 의미 있는 일생이 될 것이다.

참 괜찮은 생각이다. 개구리 세상에 정식으로 그런 사업을 하는 곳이 있니?"

개구리는 없다고 대답했다.

"그럼 네가 최초이겠구나! 소문내지 말고 잘 해봐."

두꺼비는 그렇게 말하며 개구리를 격려했다.

누구랑?

두꺼비는 개구리의 사업 계획이 여러 가지인 것을 확인했기 때문에 혼자 감당하기는 벅찰 것으로 판단하고 누구와 함께 일할 것인가를 물었다.

"여러 가지 사업을 혼자서 하기는 벅찰 텐데 누구랑 같이할 작정이야?"

개구리는 질문을 받자마자 즉시 대답을 했다.

"우리 가족도 있고 주변에 노는 친구들이 많아서 그건 크게 걱정할 문제가 아니야."

두꺼비는 기다렸다는 듯이 말했다.

"인사에 탕평은 없어, 열매에는 탕평이 있어도."

개구리는 무슨 말인지 이해하지 못했다.

"그게 무슨 말이니, 두껍아?"

"어떤 임무를 맡길 사람을 뽑을 때 정실에 의해서나, 지역이나 학연 때문에 탕평책을 써서는 안 된다는 말이야. 단, 일의 결과나 이익을 나눌 때는 탕평의 노력이 있어야 한다는 말이다."

개구리는 쉽게 이해가 되었다.

"맞아. 그동안 큰일을 안 해봤지만, 그 말이 옳다는 것에 전적으로 동의한다."

진지한 태도로 듣는 개구리를 보면서 두꺼비는 개구리에게 남과의 관계 설정을 어떻게 하는 것이 좋은지를 자신의 경험을 토대로 말해 주기로 마음먹었다.

"개굴아! 너 빨래터에서 많은 사람들로부터 '속았다. 배신당했다. 실망했다. 섭섭했다' 등 인간관계에 대한 푸념과 불만의 이야기를 많이 들었지?"

개구리는 "푸념과 불만을 넘어 다투고 싸우며 심지어는 원수지간처럼 서로 피하고 안 보는 경우가 종종 있다"고 말했다. 두꺼비는 "그것이 서로 간의 관계 설

정에 대한 오해 때문"이라고 말하면서 관계 설정 방
법에 관해 설명했다.

관계 설정 구분
① 동무 ② 동승자 ③ 동업자 ④ 동지 ⑤ 동반자

개구리와 두꺼비

두꺼비는 자신의 두툼한 왼손을 들어 손가락을 펴면서 말했다.

"이 복잡하고 험한 세상을 살아가는데 혼자만의 힘으로 살 수는 없다. 좋든 싫든 남과 함께 부딪치며 살아야 하는 게 순리다. 중요한 것은 많은 이들과의 관계 설정을 바로 해야만 서로 상처를 안 받고 끝까지 좋은 관계를 유지 할 수가 있다는 것이다.

물론 신중한 관계 설정을 하고 살아가도 항상 고민은 따르게 마련이지만 어설프게 관계를 설정하고 필요 이상의 기대를 상대방에게 요구하거나 희망해서는 안 된다. 그 기준이 잘못 설정될 경우 빨래터의 사람들처럼 배신감, 실망감, 허탈감 등을 상대방에게 돌리며 불평과 불만을 털어놓고 심지어는 서로 피하고 안 보는 관계가 될 수 있단다."

두꺼비는 오른손으로 왼손 손가락 다섯 개를 새끼손가락부터 차례로 잡으면서 각각의 관계 설정의 경우를 말했다.

"개굴아! 나는 이렇게 관계를 설정하고 생활하니까 아주 효과적이더라.

첫 번째, 동무의 관계야.
친구의 관계이지. 가끔 시간 날 때마다 만나서 밥도 먹고 술도 마시며 부담 없이 지내는 관계를 말한다. 가끔은 다투고 토라지지만 좀 지나면 언제 그랬느냐는 듯 또 만나는 그런 관계 말이다.

두 번째, 동승자 관계다.
하고자 하는 목적과 목표가 같아서 함께 자동차나 비행기 또는 배를 타고 가는 격이지. 동승자의 특이한 점은 이름도 성씨도 모르지만 추구하는 목적과 방향이 같다는 것만으로 맺어지는 관계를 말한다.

세 번째, 동업자의 관계다.
동업자 관계는 항상 조건이 따른단다. 처음부터 서로 간의 이익을 위해서 철저하게 조건으로 맺어지는

개구리와 두꺼비

계약 관계야. 조건이 바뀌거나 틀어지면 순간에 깨질
수도 있는 아주 매몰찬 관계를 말한다.

네 번째, 동지의 관계다.
말 그대로 공동의 뜻을 이루기 위해 맺어지는 아주
뜻깊고, 의미 있는 굳은 관계를 말한다. 마치 독립투
사들의 결의 같은 그런 관계 말이다. 한날한시에 같
이 죽을 것을 서로 다짐하고 실천하는 경우도 있지.

다섯 번째, 동반자의 관계다.
동지의 관계처럼 한날한시에 죽을 수는 없지만, 부
부나 가족 관계처럼 생애 끝까지 서로를 보듬고 이해
하며 살아가는, 살아갈 수밖에 없는 관계를 말한다.”

개구리는 두꺼비가 말하는 관계 설정 구분이 너무
도 쉽게 가슴에 와 닿았다. 없는 귀를 쫑긋 세우고 개
구리는 물었다.
“두껍아! 그 관계를 왜 구분하고 사는지, 그러면 무

엇이 유익한지 좀 더 자세히 말해줄 수 있니?"

식은 차를 한 모금 마신 두꺼비는 숨을 몰아쉬며 말했다.

"개굴아! 그런 관계를 마음속에 설정해놓고 세상을 살아가면 가슴에 상처를 덜 받고, 상대에게도 상처를 덜 줄 수 있기 때문에 그런 삶을 살고자 애쓰는 거야.

왜냐하면 관계 설정에 맞는 요구와 기대를 하고 지키면 언제나 좋은 관계를 유지할 수가 있단 말이야. 예를 들면 동무 관계인데 동업자 수준의 요구와 기대

개구리와 두꺼비

를 걸면 되겠니? 또 동승자 관계인데 동지의 수준으로 행동해 주기를 바란다면, 상대가 들어주겠니? 각각의 관계에 걸맞은 처신과 기대를 할 때 서로가 편하고, 원만한 관계를 유지할 수 있다는 점에서 유익한 방안이라 생각한다."

두꺼비의 말에 개구리는 크게 감동을 받으며 전적으로 동의했다.

"두껍아! 너는 참 현명하다. 너에 대한 사람들의 평가가 당연하다는 것을 확실하게 깨달았다."

두꺼비는 개구리의 칭찬보다 개구리가 자신의 이야기를 쉽게 이해하고 받아들이는 태도를 보면서 오히려 개구리에게 고마운 생각이 들었다.

"개굴아! 너는 참으로 순수하고 좋은 친구다. 너의 진지한 모습에 내가 도리어 놀랍고 고맙다. 우리 집안에 내려오는 가훈과 같은 덕목 몇 가지가 있는데 네가 좋다면 말해주고 싶구나."

개구리는 등을 쭉 펴면서 뛸 듯이 기뻐하며 박수를 보냈다. 그 모습을 본 두꺼비는 또다시 질문을 했다.

4 언제부터?

"개굴아! 너는 어떤 일 처리를 할 때 미루거나 망설이는 경우는 없니?"

두꺼비의 질문에 개구리는 작은 목소리로 "그렇지 못하다"고 대답했다. 그러자 두꺼비는 "누구나 쉽지 않은 일"이라며 당부를 했다.

"개굴아! 어떤 일을 처리하거나 시작할 때는 미루거나 망설여서는 안 된다. 되는 일도 없고 손해가 크거든, 그래서 말인데 일을 처리하고 시작할 때는 다음과 같이 하니까 효과적이더라. 먼저 일의 내용을 정확하게 분석한 다음 언제까지 처리할 수 있는지,

개구리와 두꺼비

처리해야 하는지를 결정하는 거야. 물론 처리할 수 없는 일은 판단이 서는 대로 결론을 짓고, 통보해주어야지.

그리고 해야 하고 할 수 있는 일은 일의 내용에 따라 즉시 해야만 한다. 때를 놓치면 소용없거든. 무지개가 사진 찍으라고 오래 기다려 주질 않아. 떴을 때 가능한 수단을 사용해 빨리 찍어야 해. 좋은 사진기나 잘 찍는 사람을 찾다가는 아예 못 찍을 수가 있어. 마찬가지로 일의 시작과 처리를 할 때는 시간을 맞추는 게 무엇보다도 중요하단다. 한마디로 '생각났을

때, 기회가 왔을 때' 본인이 직접 정확하게 빨리 시작
하고 처리하는 습관을 길러야 한다."

개구리가 또 하나를 깨닫는 순간이었다.

"개굴아! 네가 계획하는 사업은 미루지 말고 서둘
러 진행해라. 머뭇거리면 기회를 놓친다."

두꺼비는 재차 당부했다.

5   어떻게?

"개굴아! 앞으로 네가 계획하는 사업들을 어떻게 전개하려고 하는데?"

개구리는 쭈뼛대며 말했다.

"뭐 열심히 잘해볼 생각이야."

두꺼비는 머리를 가로저으며 말했다.

"개굴아! 그렇게 막연하게 말해서는 성공할 수가 없어. 내가 그 절차와 방법을 말해줄 테니 그렇게 추진을 해봐.

성공 조건
1. 분명함
2. 적극성
3. 정확성
4. 진실성
5. 간절함

개구리와 두꺼비

첫째, 분명한 목적과 목표를 세워.

둘째, 적극성이 있어야 해. 대충해서 되는 일은 하나도 없어.

셋째, 정확성이 있어야 해.

넷째, 진실성이 필요해, 자신은 물론 남들이 느낄 정도로 말이야.

다섯째, 간절함이야! 꼭 이루고야 말겠다는 각오와 간절한 노력이 필수적이야.

이 다섯 가지 원칙과 방향을 지키고 실천하면 대개의 일들은 이루어 낼 수 있어."

두꺼비는 힘을 주어 강조했다. 개구리는 두꺼비를 비웃기만 했던 지난날을 후회하며 반성했다.

"두껍아! 너는 생각할수록 참 주도면밀하구나!"

두꺼비는 개구리의 말이 끝나자마자 말했다.

"개굴아! 너에게 꼭 해주고 싶은 말이 있는데 들어 볼래?"

두꺼비의 천금 같은 말에 푹 빠진 개구리는 기다렸 다는 듯이 두꺼비를 재촉했다.

"당연하지, 빨리 말해줘라!"

개 구 리 와 두 꺼 비

6   경쟁하지 마…

두꺼비는 한층 안정되고 점잖은 목소리로 타이르
듯 개구리에게 말했다.

"개굴아! 내가 이미 말했지? 남과 경쟁하는 삶을 살
지 말라고. 다시 한 번 말할게. 내가 지켜본 너의 삶은
먹는 것도, 노는 것도, 작은 일을 하는 것도, 심지어는
아무 뜻도 없이 울어대고, 왔다 갔다 들뛰는 것까지
모두 목숨 걸고 하는 경쟁이더라.

그렇게 사는 것은 정말 피곤한 일생이야! 온통 경쟁
심리로 꽉 찬 생활이 행복할 수 있겠니? 남과의 관계
도 원만할 수가 없고 경쟁을 거듭할수록 욕심이 커질

                             개구리와 두꺼비

뿐이야. 중요한 것은 앞서도 말했지만, 남이 하는 것을 따라 하거나 경쟁해서는 잘해도 2등 하기가 바쁘다는 사실이야. 개굴아! 내 말뜻이 무엇인지 알겠니?"

개구리는 절로 고개가 끄덕여졌다. 그리고 그동안 살아온 과거의 삶이 주마등처럼 지나갔다.

"두껍아! 너의 말에 100% 동의한다. 내가 오늘 너의 집을 찾아온 것은 나의 그 못된 경쟁심 때문이라는 것을 인정할 수밖에 없구나! 앞으로는 경쟁하지 않고, 안정감 있게 마음에 평온을 지키며 살아가고자 노력할게."

개구리는 말하는 방식과 속도마저 두꺼비를 닮아 가는 느낌이었다.

모래밭에 물이 스미듯 자신의 말을 받아들이는 개구리의 모습에, 두꺼비는 급하고 직설적인 성격의 개구리에 반발을 걱정했던 처음의 염려를 지웠다.

7   도전을 해…

"개굴아! 생각 잘했다. 앞으로는 되도록 남과 경쟁하지 말고, 새로운 일을 찾아서 도전을 하며 살아. 너의 적성과 능력 그리고 조건이 맞는 일을 선택하고 도전하는 거야.

자신만이 아니라 모두에게 유익한 일이면 더욱 좋겠지. 한번 해봐 아주 편한 삶이 될 거야. 남과의 관계도 원만해지고 지금과는 달리 너 자신에게 마음의 여유가 찾아들 거야. 아마 나처럼 양쪽 볼이 늘어지고 걸음걸이도 늦어질지도 몰라."

두꺼비는 개구리에게 농담 섞인 말을 건네며 삶의

방식을 일러주었다.

"맞아. 두꺼비 네 말처럼 하면 쉬면서 할 수 있고, 마음에 여유도 생길 거야. 남과 다툴 일도 없어질 거고. 그러면 나도 너처럼 좋은 평도 받을 수 있겠지."

개구리는 버릇대로 쉬지 않고 말했다.

"개굴아! 네가 그런 삶을 실천할 수만 있다면 사람들은 아이를 낳으면 '예쁜 개구리 같은 아이를 낳았다'고 말할 거야! 동시에 너는 조금 천천히 일하더라도 네가 하는 분야에서는 항상 선두주자로서 존경받는 삶을 살 수 있을 거야."

두꺼비의 말을 들은 개구리는 신이 났다. 환한 미소와 함께 양손을 비비며 만족한 표정을 지었다.

8 받아들여…

빨간 눈에 상기된 얼굴로 기뻐하던 개구리가 정색을 하면서 두꺼비에게 물었다.

"두껍아, 내가 말한 대로 변화된 일상을 살려면, 가족의 성화나 반대는 물론, 주변의 비난이 클 텐데, 그때는 어떻게 대처하는 것이 효과적이겠니? 방법이 있으면 말해줘라."

두꺼비는 주저함이 없이 말했다.

"그런 것은 네가 마음먹기에 달려 있어. 너의 목표와 소신이 확실하다면 있는 대로 말하고 동의를 구한 후 반드시 실천하면 돼. 네가 추진하고자 하는 일이

분명하고 좋고 옳으면 도전하는 거야! 과정이 철저하고 내용이 온당하면, 갈수록 반대와 비판은 줄어들게 마련이니까, 결과만 좋으면 순식간에 칭찬으로 변할 거야. 그래서 말인데 꼭 지켜야 할 순서와 행동의 기준, 그리고 삼가야 할 내용이 있다.

생활 수칙

ο 행동 순서
   1. 생각한 후 2. 말하고 3. 행동한다.
ο 행동의 기준
   1. 긍정 2. 희망 3. 배려 4. 격려 5. 감사 6. 겸손
ο 금기사항
   1. 두말 2. 뒷말 3. 막말

개굴아! 너는 영리하니까 이 도표만 봐도 무슨 뜻인지 알겠지만, 내가 간단하게 설명할게. 듣고 기억해라.

먼저, 행동하는 순서야. 급한 마음에 이 행동 순서를 지키지 않으면 실수 아닌 실수를 하고 손해를 보

며, 때론 사과를 하고 용서를 빌어야 하는 경우가 생기는 거란다.

일이 크든 작든, 아무리 바쁘고 급해도 먼저 생각한 후 말을 하고 행동을 해야만 하는 거야. 생각 없이 말하고, 말하지 않고 행동부터 하는 경우, 여러 가지로 낭패를 보는 경우가 너무도 많단다. 꼭 순서를 지키도록 해라!

다음은 생각하고 행동하는 데 있어서 반드시 기억해야 할 기준들이 있다.

모든 것을 긍정적으로 생각하고 희망적으로 다가서며, 상대방의 입장에서 배려하는 자세로 격려하는 내용이 되어야 한다. 또 어떤 결과이든 간에 고마운 마음을 갖고 감사를 표시해야 하며 그 자세는 상대방이 느낄 수 있도록 겸손해야만 한다.

마지막으로 세 가지 금기사항이 있는데, 그것은 바로 말 조심에 대한 것으로, 절대 해서는 안 되는 말들이다.

어떠한 경우라도 한 입 가지고 두말을 해서는 안

개구리와 두꺼비

된다. 그래서는 인정받는 삶을 살 수 없다.

또 조심해야 할 말은 뒷말이다. 할 말이 있으면 앞에서 당당하게 말해야지 다 끝난 뒤에, 헤어진 뒤에, 사람이 못 듣는 뒤에서 이러쿵저러쿵 뒷말하는 일은 없어야 한다. 신뢰받는 삶이 될 수 없기 때문이다.

그리고 절대 하지 말아야 할 말은 바로 막말이다. 아무리 화가 나도 마지막 얘기는 해서 안 되고 화장실에 혼자 변기에 앉아서도 남을 욕하거나 탓해서는 안 된다. 특별히 너에게 강조한다!

그 이유는 습관이나 버릇이 한순간에 눈 녹듯이 없어지는 게 아니기 때문이다."

대답할 시간도 주지 않고, 교장 선생님 훈시처럼 일목요연하게 정리된 생활 수칙을 말하는 두꺼비에 대해 개구리는 존경심이 우러나는 것을 감출 수 없었다.

"두껍아! 나는 네가 참으로 부럽고 존경스럽다! 그런 것도 모르고 겁 없이 날뛰며 지나온 날들이 부끄럽고 후회된다."

개구리는 곧추세웠던 등을 구부리면서 고개를 떨구었다.

두꺼비는 멋쩍은 듯 헛기침을 한 번 하고는 개구리를 바라보았다.

개구리와 두꺼비

9   참고 견뎌…

더없이 양순해진 개구리는 두꺼비를 올려다보면서 말했다.

"두껍아! 도전하면서 살겠다는 생각을 하고 보니 지난날이 떠오른다. 내가 이렇게 되는 대로 산 것에는 나름의 이유가 있단다. 지난날에 겪은 실패 때문에 생긴 두려움이 떨쳐지질 않는다. 그중에서도 극복하기 힘든 절박한 상황이 왔을 때 겪었던 일들을 잊을 수가 없구나. 이런 중압감을 이길 수 있는 좋은 방안은 없니? 있으면 말해주렴."

개구리의 모습에서 진지함과 순수함이 엿보였다.

두꺼비는 아랫배에 힘을 주며 우렁차게 개구리에게
말했다.

"개굴아! 그건 다 지난 일들이야, 용기를 내. 그 두
려움을 깨는 것 자체가 도전이야. 도전은 간단하게 생
각하고 자신과 싸우는 거야. 우선 '된다, 할 수 있다'
판단되면 도전하는 거야. 복잡하게 생각하면 할수록
머리만 복잡해지는 법이다.

개굴아, 너 알고 있지? 십진법을 쓰는 사람들이 답을 어디서 찾고 얻는지 말이다.

이진법을 쓰는 컴퓨터가 그들의 선생님이 아니니? 복잡하게 생각하지 말고 간단하게 생각하고 전진하는 거야. 두려워하지 마. 너도 참고 나도 참을 수 있는 것을 참아내는 것은 진정한 인내가 아니고, 너도 하고 나도 할 수 있는 것을 이루는 것은 진정한 성공이라 할 수 없는 거야. 누구나 쉽게 할 수 없는 것을 참고 이루어냈을 때 진정한 인내와 성공이라 할 수 있다.

개굴아! 어려울 때 힘이 되고 약이 되는 것이 바로 너처럼 이전에 겪었던 실패와 경험들이란다. 용기를 가져, 너는 할 수 있어."

개구리는 두꺼비의 이유 있는 격려를 차분하게 듣고는 두 주먹을 불끈 쥐면서 큰소리로 외쳤다.

"그래, 나도 할 수 있다!"

두꺼비는 개구리에게 에둘러 말을 했다.

"참고 기다리면 돼. '누구에게나 다 때가 있다.' 이

말은 목욕탕 때밀이 선생님께서 하신 말씀인데, 너도
나처럼 몸에 때도 있고 성공할 때도 있어."

　두꺼비의 말뜻을 이해한 개구리가 오랜만에 까르
르 소리 내어 크게 웃었다. 두꺼비도 함께 얼굴에 미
소를 지었다.

10 열쇠는 지혜…

한참 웃던 개구리가 정색을 하면서 또 다른 고민을 말했다.

"두껍아! 그런데 말이야, 진짜 고민이 있다. 그동안 내가 겉모습만 갖추고 아는 게 많은 듯이, 또 가지게 많은 듯이 행세를 했지만, 사실 나는 많이 배우지도 못했고 가진 것도 많이 없어. 새로운 세상을 개척하면서 네 말대로 '경쟁하지 말고 도전하면서 살려고 한다' 면 약점과 부족함이 많은데 어떻게 해야만 극복할 수 있겠니?"

두꺼비는 개구리가 묻는 말에 이번에는 한참을 생

각하더니 말문을 열었다.

"개굴아! 그 질문에 대한 답으로는 나의 생각과 경험을 이야기하기보다 내가 들은 이야기를 전해줄게. 그래도 되겠니?"

개구리는 두꺼비의 제안에 호기심을 느끼면서 받아들였다.

"누구한테 들은 내용인지는 몰라도 내게 도움이 되는 내용이라면 나는 좋지, 들려줘."

개구리는 기대하는 눈치였다. 두꺼비는 진지한 태도로 말했다.

"개굴아! 우선 네가 자신을 있는 그대로 솔직하게 나에게 말해줘서 고맙다. 솔직하다는 것은 그 무엇과도 비교할 수 없는 삶의 무기인 동시에 재산이란다. 자기 자신을 정확하게 알고 능력에 맞는 도전을 하는 것이 중요하기 때문이지.

내가 전해주려고 하는 이야기의 핵심도 바로 어려운 문제들을 배우고 풀어낼 수 있는 열쇠는 지혜라는 것을 너에게 효과적으로 알려주고 싶어서란다.

내가 더 좋은 환경을 찾아 못 떠나는 이유 중 가장 큰 이유는 '지혜의 철학'을 연구하기 위해서란다. 그 연구의 대상이 우리 집터 주인이기 때문에 너한테 흉을 잡혀가면서도 한 곳에만 사는 거야.

우리 집터 주인이 큰 꿈을 품고 도전하는 과정에서 크고 작은 어려움이 닥칠 때마다 물러서지 않고 지혜로 돌파하고 극복하는 과정을 지켜보면서 연구하는 중이란다. 그중에 한 대목을 말해줄게. 개구리는 흥미로움까지 더해지면서 마음이 급해졌다.

"두껍아! 어서 들려다오, 기대가 된다."

개구리는 턱 밑을 유난히 발랑거리며 마른 침을 삼켰다.

두꺼비는 본론을 이야기했다.

"우리 집터 주인은 6·25전쟁이 끝나고 3년 뒤에 태어났어. 그의 부모님은 땅 한 평 없는 화전민이셨고 할아버지께서는 일찍부터 서당에서 훈장님을 하고 계셨지.

이름은 내가 부를 때 쓰는 건데 우뚝이야. 우뚝이는 초등학교 4학년 때 '장래에 국회의원이 되겠다'는 꿈을 가졌어. 국회의원의 꿈을 갖게 된 동기는 아주 단순해. 집과 학교 사이에 제법 큰 강이 있었는데 그 당시는 경제적으로 어려운 시대라, 온통 화전들로 인해 민둥산이 많아서 비가 조금만 내려도 강물이 불어났어.

강물이 늘면 학교를 못 가도 결석이 아니고 늦게 가도 지각이 아니며 일찍 집에 와도 조퇴가 아닌 탓에 우뚝이는 6년 개근상을 탔어. 그러던 어느 날 그렇게 넓고 긴 강에 처음으로 다리가 놓였어.

개구리와 두꺼비

다리도 아주 얄궂은 다리였지. 다리발은 콘크리트로 세우고 상판은 통나무를 가로 세로로 놓고, 그 위에 볏짚과 솔가지를 깔고 흙을 부어서 완공한 새마을 다리였지. 우뚝이는 그 다리를 더없이 좋아했어. 마음 놓고 학교를 다닐 수 있게 되었으니까.

그런데 그 다리를 당시의 국회의원이 놓아 주었다는 거야. 그 말을 듣고 우뚝이는 '장래에 어려운 이웃을 위해서 일하는 국회의원이 되겠다'는 꿈을 갖게 되었단다.

그런데 우뚝이는 집안 경제 사정 때문에 중학교에 진학을 못 하고 서당에서 훈장이신 할아버지한테 한문을 3년간 공부했어. 처음에는 한문만 잘 배워도 국회의원이 될 수 있다고 생각했던 우뚝이였지만, 중학교를 가는 것이 도전의 순서라는 것을 느끼고 부모님을 졸라서 3년 늦게 중학교에 진학을 했어.

중학교를 졸업하고 고등학교에 진학했는데 학교는 사관학교에 많이 입학하는 학교를 선택했지.

이유는 그 당시 국회의원들의 대다수는 군 장성 출

신이 많았거든. 5·16 직후인지라….

그런데 진로에 문제가 생겼어. 3년을 늦게 중학교를 진학한 관계로 고등학교 때 군 소집 영장이 나온 거야. 우뚝이는 별수 없이 고등학교 2학년을 수료하고 군에 입대했어.

병역 연기를 왜 안 했냐고? 그 당시에는 고등학생은 병역 연기가 안 되었어. 왜냐하면 병역 기피 수단이 될까 봐 법으로 규제를 했기 때문이지. 3년간 병역 의무를 마친 우뚝이는 군복을 교복으로 갈아입고 총 대신 볼펜을 잡고 여섯 살 어린 동생들과 3년간 고등학교에 다닌 끝에 졸업했어. 그 과정이 오죽했겠니?

그리고는 자신이 하고 싶은 꿈을 위해 당시 국회의원 선거구 내에 있는 대학을 찾아서 가더라. 지혜로운 선택이라 생각했다.

만 25세, 대학교 2학년 때 제11대 국회의원 출마를 결심하고, 모든 준비를 해서 입후보 등록을 하러 선거관리위원회에 갔어. 하지만 '기백은 좋지만 대학은 졸업을 하고 도전하는 게 좋겠다'는 주위의 권고를 받

개구리와 두꺼비

고는 신중하게 고려한 끝에 돌아왔지. 그 후 꾸준히 준비하더니만 정말로 29세 때 국회의원에 출마하더라. 나는 우뚝이의 지혜롭고 끈질긴 도전을 지켜보면서 박수를 쳤지.

당연히 낙선했지만 제법 표를 많이 얻었고, 두 번째 출마해서 여섯 명의 후보자 중 2등을 했고, 세 번만에 다섯 명의 후보자 중 52.7%의 득표율로 제14대 총선 전국 최연소 당선자로 국회의원의 꿈을 이루어 내더라! 산골 고향 분들이 너무도 기뻐했지! 우뚝이 고향에서 야당을 한다는 것은 아스팔트 길을 손톱으로 파서 콩을 심는 것만큼 어려운 일이거든….

중요한 것은 도전의 순간마다 찾아오는 난관들을 지혜와 노력으로 극복하더라는 것이다. 그중 우리 주인이 어린 학생들에게 '꿈을 가진 인생을 살라'고 주문하면서 '꿈을 이루는 열쇠는 지혜'라는 자신의 경험을 교훈으로 들려주더라.

두꺼비의 긴 이야기를 긴장하면서 듣고 있던 개구리는 그 이야기도 마저 해달라고 졸라댔다. 굴 밖에

서는 사람들이 점심 먹는 소리가 들렸다.

"개굴아! 배 안 고프니? 때가 됐다. 점심 먹고 또 이야기하자."

두꺼비는 엉금엉금 기어 밖으로 나갔다. 개구리에게 "네 집으로 생각하고 밥상을 차리라"고 하면서. 한참을 지나 두꺼비는 생기 넘치는 모습으로 돌아왔다. 양손에는 살진 벌들을 잡아들고 밥상머리에 앉으면서 말했다.

"개굴아! 먹어라. 난 이미 먹었다."

두꺼비는 손에 쥐고 있던 잡아 온 꿀벌들을 개구리의 밥그릇에 놓아주었다. 놀라서 겁먹은 개구리에게 두꺼비는 정답게 말했다.

"손질했으니까 쏘일 염려 없어. 맛있게 먹어."

망설이던 개구리는 너무도 달고 푸짐한 점심 식사를 했다. 그리고는 다시 졸랐다. 주인의 경험담을 말해달라고….

두꺼비는 자신의 배꼽시계를 들여다보더니, 두 손을 들어 가로저으며 말했다.

"개굴아! 어느새 2시가 되었다. 너희 가족들이 기다리겠다. 오늘은 개구리들 기념일인데 벌써 오후 2시야. 두꺼비들은 오후 2시면 낮잠을 자면서 쉬는 시간이야. 그 이야기는 다음 기회에 또 하자. 급한 일도 아닌데…."

할 수 없이 개구리는 다음을 약속하고 두꺼비 집을 나와 집으로 향했다. 껑충껑충 뛰어 빨래터에 도착해 보니 온 동네 여인네 들이 다 모인 듯싶었다. 태양은 온 세상의 물기를 말리고 있었다. 어린아이들은 개구리들의 수영장을 무단 점령하고는 개구리 수영을 배

우고 있었다.

　오전 내내 두꺼비에게 살아가는 철학을 배우고 난 뒤라서 그런지, 여인네들의 수다에도 관심이 없고, 아이들이 수영장을 어지럽혀도 예전같이 화가 나지 않고 오히려 수영을 배우는 아이들이 귀엽고 보기 좋았다. 아이들이 정말 떡두꺼비 같다는 생각이 들었다. 두꺼비에게 감사한 마음이 더해졌다.

개구리와 두꺼비

11 돌아봐!

개구리는 참으로 기분이 상쾌하고 좋았다. 두꺼비 말대로 '세상일은 마음먹기에 달렸고, 실천하는 만큼 달라진다'라는 말이 맞다고 생각했다. 긍정적으로 생각하고 희망적으로 세상을 바라보니 평소와는 달리 마음도 안정되고, 하고 싶은 일이 많아졌다. 개구리는 새롭게 마음먹었다.

"맞아 허구한 날 여인네 말이나 엿듣고 하찮은 일에 신경 쓸 시간이 어디 있어, 이제부터는 의미 있는 세상을 살아야지!" 개구리는 그날부터 앞으로 살아갈 방향과 방안을 정하고 계획했다. 두꺼비가 자신에게 묻던 질문을 차례대로 떠 올리면서 자신에게 물었다.

① 나는 왜 사는가?
② 앞으로 뭘 하면서 살 것인가?
③ 그런 것을 누구와 함께하면 좋을까?
④ 언제부터 시작할까?
⑤ 어떻게 하면 효과적일까?

개구리는 꼬박 이틀하고 반나절을 고민하면서 생각했다. 시간이 쏜살같이 지나갔다. 예전처럼 두 팔을 뻗으며 하품할 시간도 없이, 도전의 대상을 찾고 또 설계했다. 마침내 개구리는 새로운 삶의 목표를 정하고 집 밖으로 나왔다. 어두컴컴한 저녁 무렵이었다. 또다시 비가 부슬부슬 내리고 있었다.

개구리는 자신 있고 의미 있는 발걸음으로 두꺼비의 집으로 향했다. 양손에는 두꺼비에게 줄 선물 보따리와 함께 먹을 저녁 도시락이 들려 있었다.

개구리는 가면서 생각했다.

'지금쯤 두꺼비가 저녁을 먹고 있을 텐데.'

　좀 늦은 시간이었기 때문이다. 두꺼비 집에 도착했을 때 사람들은 저녁을 먹느냐고 시끌벅적한데, 벌통 앞에 앉아 있을 줄 알았던 두꺼비기 안 보였다. 개구리는 두꺼비를 불렀다.

　"두껍아! 집에 있니? 나 빨래터 개구리인데 함께 저녁 먹자."

　저녁 밥상을 차리던 두꺼비는 의관을 갖추고 밖으로 나왔다. 뭔가를 양손에 들고 서 있는 개구리를 보면서 말했다.

　　　　　　　　　　　　　　개구리와 두꺼비

"비 맞지 말고 어서 들어와. 저녁 시간에 밥 안 먹고 무슨 일로 찾아왔니? 여인네들이 또 그 말을 했니?" 하면서 개구리가 들고 있는 양손에 보따리를 달라고 했다. 개구리는 "괜찮다"고 하면서 두꺼비에게 안으로 들어가자고 했다.

두꺼비는 돌아서면서 말했다.

"정말 괜찮겠니? 너는 손으로 코를 막아야 하지 않니?"

지난날의 경솔했던 행동을 반성하면서 개구리는 말했다.

"두껍아! 지난번엔 미안했다. 내가 너를 몰라봤을 때의 허세였고, 지금은 아니야. 개구리들도 급하면 거름더미 속으로 숨을 때가 많아."

두꺼비는 변화된 개구리의 행동에 도리어 자신이 말에 가시를 넣었던 것이 미안해졌다. 짐을 받아 들고 앞장을 섰다.

두꺼비는 개구리에게 "함지 물방석을 준비할 테니 조금만 기다려"라고 말했다. 두꺼비의 말을 들은 개구리는 양손을 저으며 사양했다.

"두껍아! 그때 물방석도 내가 너를 얕보고 앉았던 거야, 개구리들은 일상적으로 방석을 안 써. 나도 그냥 앉을래."

두꺼비는 점점 기분이 좋아졌다.

"그래도 그렇지. (구석으로 엉금엉금 기어가 접시를 하나 건네주면서) 그럼 여기에 앉아, 손님인데."

두꺼비는 검불 방석에 앉으며 말했다.

개구리는 두꺼비에게 지렁이 과자 선물을 주고 저녁 도시락을 끌렀다. 메뚜기와 방개 요리였다. 둘은 사이좋게 저녁을 먹었다. 저녁 밥상을 물리고 난 뒤, 성질 급한 개구리가 물었다.

"두껍아, 왜 오늘은 꿀벌 식사를 안 하니?"

"개구리 너, 꿀벌이 먹고 싶었구나. 하지만 오늘같이 비가 오는 날은 꿀벌 식사가 불가능해. 왜냐하면 벌들이 일을 하지 않기 때문에 밖으로 나오질 않아. 오늘 같은 날 나와 있는 벌은 경계를 서는 싸움 벌이야. 쏘이면 아파."

개구리와 두꺼비

벌이 쏜다는 말에 개구리는 겁이 나서 빨리 화제를 돌렸다.

"그렇구나, 두껍아 너는 참 모르는 게 없구나! 나는 너와 함께 이야기를 하면 저절로 고개가 끄덕여지고 든든한 생각이 든다."

두꺼비는 개구리의 칭찬에 싫지 않은 모습으로 속마음을 털어놓았다.

"나는 네가 서울깍쟁이 같다는 생각을 늘 했는데 반대로 순수하고 깔끔하다는 것을 확인하면서 마음이 편해졌다."

개구리는 반색하면서 말했다.

"두껍아! 나는 그날부터 꼬박 이틀 반나절을 생각했다. 어떤 새로운 일에 도전할지를 말이야. 그래서 찾았고, 정했어. 그런데 너의 말을 아무리 참고해도 구체적인 계획을 세울 수가 없더구나. 그래서 너의 의견을 듣고 싶어서 찾아왔어. 좋은 방안이 없을까?"

두꺼비는 개구리의 말을 듣고는 "더 어두워지기 전에 집으로 돌아가라, 비도 오는데. 선물도 고맙고 저

녘도 네 덕분에 잘 먹었다. 고맙다"라고 덤덤하게 말했다.

개구리는 그와 같은 두꺼비의 태도에 당황하며 따지듯이 물었다.

"두껍아, 너는 어찌 내가 무엇을 도전하려고 하는지 물어보지도 않고, 좋은 방안이 없느냐고 묻는데 답도 없이 돌아가라고 하니?"

두꺼비는 태연한 자세로 말했다.

"개굴아! 네가 하려고 하는 것은 너의 꿈이고 사업 비밀이야. 네가 스스로 말하기 전에 내가 묻는 것은 도리가 아니지. 그리고 그 방안은 네가 스스로 찾는 거야. 그래야만 탄탄한 도전이 될 수 있이. 가시 돌아봐.

돌아보라는 뜻은 두 가지가 있어. 하나는 너 자신과 함께 도전의 대상을 성공시킬 수 있는지 제반 상황과 조건을 돌아보라는 것과 또 하나는 도전 대상 자체를 심층 분석해서 가능성 유무를 돌이켜보라는 뜻이다. 그러면 네가 찾는 방안과 답이 생길 거야."

개구리는 두꺼비의 냉철한 분석과 판단이 필요하

개구리와 두꺼비

다는 말을 듣고는 새침한 표정으로 "그래, 알았어"라
는 대답과 함께 빈 도시락을 들고 자리를 일어섰다.

　문을 나서는 개구리에게 두꺼비는 말했다.

　"개굴아! 서운하게 생각하지 말고 잘 생각해봐. 그
리고 영업 비밀은 꼭 지켜!"

　개구리는 들고 온 빈 도시락을 풀고는 또 한 번 놀
랐다. 어느새 두꺼비는 그릇을 깨끗하게 닦고는 잘
익은 딸기를 담아주었기 때문이었다.

12 원인을 찾아!

개구리는 두꺼비에게 쫓겨나듯 집으로 돌아온 직후부터 완벽한 도전 설계를 마치고 실천에 돌입했다. '계획이 철저한 만큼 도전의 과정은 쉽고, 결과는 크고 많을 것이라는' 두꺼비의 말을 믿고 도전을 시작한 것이다. 그러나 처음부터 난관의 연속이었다. 개구리는 난관에 부딪칠 때마다 두꺼비의 말이 생각났다. '열쇠는 지혜'라는 말이. 그리고 궁금했다. 두꺼비가 다음으로 미뤘던 우뚝이의 경험담이 듣고 싶었다.

개구리는 오랜만에 두꺼비 집을 찾았다. 이번에도 작은 선물과 밥을 싸서 갔다. 두꺼비는 반갑게 개구리를 맞이하면서 "도전이 생각대로 잘 진행 되느냐"고 물었다.

개구리는 고개를 저으면서 "생각처럼 쉽지가 않다"고 말했다. 두꺼비는 개구리의 어깨를 툭 치고는 "세상에 쉬운 일이 어디 있느냐"면서 개구리에게 용기를 내라고 격려했다.

맑게 갠 날이라 두꺼비와 함께 꿀벌 등의 맛있는 점심식사를 하고 난 후, 두꺼비는 개구리가 묻지도 않았는데 말을 시작했다.

"개굴아 문제가 생길 때는 당황하거나 고민하지 말고 원인을 찾아. 인간관계도 마찬가지야. 그리고는 해결을 위한 지혜를 짜는 거야. 알겠니?"

개구리는 "고맙다"고 대답했다.

두꺼비는 개구리가 도전 의식이 가열되고 있다는 것을 쉽게 알 수 있었다. 그래서 그동안 미루고 아껴왔던 집터 주인의 지혜에 대한 경험담을 개구리에게 들려주기로 마음먹었다.

"개굴아! 너에게 지난번에 미루었던 우리 집터 주

인의 이야기 들려줄까?"

　개구리는 기다렸던 터라 뛸 듯이 좋아했다.

　"집터 주인은 국회의원의 꿈을 이룬 뒤에 모교에 초
청 강사로 초대를 받고 가서, 지난번에 이야기했듯이
후배들에게 '꿈을 가진 인생을 살라, 꿈을 이루는 열쇠
는 지혜'라는 주제로 강연하면서 자신의 경험을 이야
기해주었대. 우뚝이가 국회의원이 되겠다는 꿈을 정
하고 장래의 희망을 묻는 사람들에게 자신의 꿈을 이
야기하면, 많은 사람이 칭찬보다는 부정적인 이야기

를 더 많이 하더란다. 심지어는 머리에 꿀밤을 주면서 '이놈아, 그건 계란으로 바위 치기다'라며, 비웃고 놀리는 사람들이 더 많았더라는 거야. 우뚝이는 항상 그 말이 염려되어 '정말 그런 것인가' 의심하면서 걱정을 했었다는구나.

우뚝이는 초등학교를 졸업하고 집안 형편 때문에 서당에서 한문을 배울 때인데, 어느 날 아버지께서 삼판^{별목} 길을 내는 현장에 정을 가져다주고 오라는 심부름을 시키셨대. 무거운 정을 메고 공사 현장에 도착한 우뚝이는 그곳에서 정으로 바위를 뚫고 깨는 광경을 지켜보았는데, 아 글쎄 사람들이 손가락만 한 정을 커다란 바위에 몇 개 박자, 그 큰 바위가 수박처럼 반으로 쩍 갈라지더라는 거야.

우뚝이는 그 순간 자신의 무릎을 탁 치면서 소리쳤지. '계란으로 바위를 깰 수 있다'고 말이야.

그 방법은 계란으로 직접 바위를 치는 것이 아니라, 계란을 팔아서 쇠토막을 사고, 그 쇠를 대장간에 가서 정을 만들어서 그 정을 바위에 박으면 돌이 깨진다는 논리를 깨달은 거지.

　우뚝이의 주장은 이와 같이 지혜를 짜면 계란으로 바위를 깰 수 있듯이, 이루고자 하는 자신의 꿈과 목표를 이룰 수 있다는 거야. 개굴아, 이해가 되니?”

　개구리는 허리가 굽혀질 정도로 고개를 끄덕이며 동의했다.

　“두껍아! 지금 그 주인은 뭘 하시니?”

　“새로운 도전을 계속 하고 계시지….”

　두꺼비는 개구리에게 “그건 비밀이고 또 개인정보”

　　　　　　　　　　　　　　개구리와 두꺼비

라며 밝힐 수 없다고 했다. 그러면서 들려준 이야기도 '지식재산권'에 해당하기 때문에 허락받고 해주는 것이라고 말했다. 개구리는 두꺼비가 이제야 들려주는 이유를 알 것 같았다. 그리고 작별 인사를 했다.

"두껍아, 일 봐라. 나도 가서 할 일이 있다."

두꺼비는 개구리의 변화에 보람과 기대감이 쌓였다.

"개굴아! 점차 너의 생활 태도에서 지혜로움을 느끼게 되는구나. 원인을 찾고 지혜로 푸는 삶을 위해 함께 노력하자."

개구리는 또 묵직한 밥통을 들고 콧노래를 부르면서 기쁜 마음으로 돌아왔다. 안보일 때까지 손을 흔들고 서 있는 두꺼비를 돌아다보면서….

13   만족을 느껴!

단풍이 물들고 찬 바람이 불기 시작하는 늦은 가을 개구리가 오랜만에 두꺼비의 집을 찾아왔다. 환한 얼굴에 원래도 큰 입이, 더 커진 듯한 입을 벌리고 '무엇인가'를 흔들며 두꺼비를 향해 "화이팅"을 외쳤다.

두꺼비는 의기양양한 개구리를 보면서 물었다.

"오랫동안 안보이더니, 무슨 좋은 일이라도 있느냐?"

개구리는 자신감 있고 건강한 모습으로 조금은 놀란 두꺼비에게 말했다.

"두껍아! 정말 고맙다. 나는 너의 속 깊은 이야기를 듣고 새로운 일에 도전했다. 그리고 이게 그 결과야."

           개구리와 두꺼비

개구리는 메달 세 개를 두꺼비 앞에 내놓았다.

"이게 무슨 메달인데? 네가 딴 거냐?"

두꺼비가 묻자, 개구리는 신이 나서 설명했다.

"나, 그동안 양서류 올림픽에 갔다 왔어. 이 메달은 내가 딴 거야, 멀리뛰기 금메달, 높이뛰기 은메달, 오래달리기 동메달을 땄어."

두꺼비는 개구리를 안아주더니 "야, 너 개구리 대단하다. 축하한다!"라고 격려했다. 두꺼비는 벌렁벌렁, 개구리는 발랑발랑 서로를 바라보며 흥분의 격한 인사를 했다. 개구리는 간발의 차로 메달을 못 딴 이

야기를 했다.

"더 잘할 수 있었는데…."

두꺼비는 개구리의 등을 쓰다듬으면서 말했다.

"됐어, 그것만도 대단한 거야, 만족할 줄 알아야 해. 욕심은 끝이 없다고 했다."

개구리는 아쉬운 눈빛을 지우면서 고개를 끄덕였다.

"두껍아! 내가 왜 올림픽을 나갔는지 아니?"

두꺼비는 두꺼운 눈꺼풀을 올리면서 "너, 명예가 필요했구나!" 했다. 개구리는 화들짝 놀라면서 "그것을 어떻게 아느냐"고 물었다.

개구리는 두꺼비의 독심술에 감탄했다. 두꺼비는 개구리가 하고자 하는 사업에 경력과 명예가 필요하다는 것을 알고 있었기 때문이다. 개구리는 영업 비밀을 노출한 것 같아 머쓱했지만, 알아주는 두꺼비가 고마웠다. 그동안 개구리들은 양서류 올림픽에 참가하지 않았었다. 개구리는 그 점을 노렸고 도전해서 성공한 것이다.

14

생각해봐!

올림픽을 다녀와서 개구리 세상에서 최초로 체육관을 운영하여 지명도가 높아진 개구리가 고급 레스토랑에서 식사를 하자며 두꺼비를 찾아왔다.

두꺼비는 '식당 조미료가 입맛에 안 맞는다'며 개구리의 초청을 거절했다. 두꺼비는 개구리가 청해 올 때마다 이런저런 핑계와 이유로 식사 초청을 거절했다. 번번이 자리를 피하는 것을 눈치챈 개구리가 두꺼비를 찾아갔다. 그리고는 따지듯 물었다.

"왜 나와 거리를 두느냐?"

두꺼비는 자연스럽게 말했다.

"개굴아! 내가 너에게 관계 설정에 대해서 말한 적 있지? 그 다섯 개 관계 중 너와 나는 동무의 관계일 뿐이야, 네가 잘되는 것만으로도 충분해. 이상하게 생각하지 마.

말이 나왔으니까 말인데, 개굴아, 항상 자만하거나 현실에 안주하지 말고 긴장하면서 새로운 것에 또 도전해."

두꺼비는 개구리를 응원하고 앞으로의 일을 조언해주었다. 개구리는 두꺼비의 이유 있는 거절의 속사정을 알고 철저한 두꺼비가 무섭기까지 했다.

"두껍아, 나는 그런 줄 모르고 너를 오해했다, 용서해라."

개구리는 겸연쩍은 듯 말하면서 머리를 긁었다. 두꺼비는 갑자기 소침해지는 개구리를 향해서 말했다.

"우린 지금 동무, 즉 친구 사이인데 곧 겨울잠을 자러 갈 때는 동승자가 되겠지. 네가 좋다면 내년쯤 너의 특기를 살려서 노래방이나 수영장 동업자가 되자. 사업해서 돈 많이 벌면, 우리 함께 독거노인을 돕는 동지가 되어보자. 봉사를 많이 하고 착하게 살면 누가 아니, 다음 세상에 다시 태어나면 동반자로 살 수도 있지 않겠니?"

속을 툭 터놓고 코를 벌렁이며 말하는 두꺼비를 보면서 개구리는 오랜만에 행복감을 느꼈다. 개구리는 더욱 겸손한 자세를 갖추며 두꺼비에게 작별 인사를 하고 돌아왔다. 앞으로 다가올 여러 가지 관계 설정을 가정해보면서….

15

눈을 떠!

개구리는 두꺼비의 말대로 일과 사업을 처리하고 추진했다. 먼저 남이 하지 않는 새로운 일로, 개구리들이 참가하지 않는 양서류 올림픽에 참가해 입상을 했다. 올림픽에서 입상한 경력과 명예를 앞세워 개구리 업계에서는 최초로 정식 인가를 받아 체육관을 열었고 성공했다. 곧이어 실내 수영장, 노래방 등 새로운 사업을 성공적으로 운영했다.

개구리가 새로 시작하는 사업은 모두 최초였고, 최고였다. 남이 하지 않는 일과 길을 찾아 도전하여 부와 명예를 쌓은 것이다. 개구리는 도전할 때마다 개구리 자신과 남과의 관계 설정에도 지혜롭게 구분하여 유지한 결과, 전과는 달리 마음에 평화도 얻고 남과의 관계도 원만해졌다. 개구리는 새로운 도전을 시작하고, 추진할 때마다 두꺼비가 말한 성공 조건을 충실히 지켰다.

특별히 개구리가 심혈을 기울인 것은 두꺼비가 강조했던 생활 수칙을 실천하는 것이었다. 개구리의 명성과 인품에 대한 평가는 날로 높아져만 갔다. 놀라운 변화였다. 개구리는 두꺼비를 만난 이후, 생활 태도와 사회적 위치에 엄청난 변화가 생겼다. '새로운 삶의 눈을 뜨고, 넓은 세상의 눈을 뜬' 것이다. 개구리는 연꽃잎 안마 의자에 앉아 지난 과거를 회상했다.

숨 가쁘게 달려온 도전과 성공의 시간이었다. 모두가 다 두꺼비의 덕택이라는 생각이 들었다. '삶은 보답과 봉사'라는 생각을 했다. 개구리는 전과는 달리 미리 두꺼비에게 연락을 해서 약속을 잡았다.

두꺼비를 초대하여 감사의 인사를 하고자 함이었다.

항상 초청을 거절하던 두꺼비는 이번에는 사양하
지 않았다. 개구리는 약속 시각과 장소 결정도 두꺼
비의 뜻에 따랐다. 배려하는 정신으로.

약속 날짜가 되어 개구리와 두꺼비는 약속 장소로
갔다. 두꺼비가 정한 약속 장소는 개구리가 살던 빨
래터에 있는 높고 평평한 바위였다. 개구리가 먼저
도착했다.

약속 시각 10분 전쯤 두꺼비가 도착했다. 엉금엉금
기어오는 두꺼비를 발견한 개구리는 맨발로 뛰어가

개구리와 두꺼비

반갑게 인사를 건넸다.

"두껍아! 오랜만이다. 그동안 별일 없었니?"

두꺼비는 커다란 바람 주머니를 벌렁거리며 손을 내밀어 악수를 청했다.

개구리의 손을 잡고 두꺼비는 말했다.

"개굴아! 난 네가 내 친구고 이웃이지만 다시 보인다."

개구리의 성공적인 삶을 한마디로 격려하고 칭찬하는 말이었다. 개구리가 준비한 만찬을 맘껏 들면서 서로는 이야기꽃과 웃음꽃을 피웠다.

개구리는 정중하게 두꺼비에게 감사의 인사를 했다.

"두껍아, 정말 고맙다. 네가 나를 이끌어주지 않았다면 오늘의 나는 없었을 거야!"

진실과 겸손이 묻어나는 감사의 표현이었다.

개구리에게 '정중한 감사의 인사'를 받은 두꺼비는 개구리의 두 손을 잡으면서 말했다.

"개굴아, 내가 고맙다니, 그게 무슨 말이니? 말도 안 되는 얘기다. 너의 오늘은 너 자신이 이룬 거야. 나는 너의 성공과 발전을 지켜보면서 도리어 고맙고 감사했다."

두꺼비는 잡았던 개구리의 손을 놓고, 자세를 바로 하면서 말했다.

"내게 '좋고 비싼 장소'를 네가 권했지만, 약속 장소를 이곳으로 고집한 이유가 무엇인지 아니?"

개구리는 갑작스러운 두꺼비의 질문에 예전처럼 멈칫했다. 두꺼비는 "성공한 사람도 그런 말에 긴장하느냐"며 웃으면서 말했다.

"개굴아! 살아가면서 성공하고 지위가 달라질수록 지켜야 하는 게 있다. 그것은 바로 '초심을 잃어서는 안 되고 더욱 겸손해져야 한다'는 것이다. 내가 오늘 너의 초청에 흔쾌히 응한 것은 바로 이 말이 하고 싶어서란다."

두꺼비는 너무도 당연하지만 잊기 쉬운 일을 개구리에게 들려주었다.

개구리와 두꺼비

개구리는 두꺼비의 말을 '명심하고 실천하겠다'고 약속했다. 두꺼비는 그 말을 듣고 얼굴에 환한 미소를 머금고 말했다.

　　"개굴아! 고맙다. 니는 네가 그런 나의 부탁이 없어도 잘할 거라고 믿거든. 그동안 너를 쭉 지켜보면서 네가 이웃은 물론 주변과 사회에 베풀고 봉사하는 모습을 보았기 때문이지."

　　개구리는 양손을 비비며 고개를 숙였다. 쉬지 않고 움직이던 턱밑 바람 주머니도 잠시 멈추고 앞날을 다

짐하는 눈치였다. 개구리의 그런 모습을 보면서 두꺼비는 말을 이었다.

"개굴아! 작은 성공에 취해서 현실에 안주해서는 안 된다. 자만은 더욱 위험하고 항상 새로운 것을 또 찾고 도전하면서 자신을 돌아보며 성찰과 반성을 거듭해야만 한다."

언제나 좋고 옳은 말만 하는 두꺼비를 보면서 개구리가 말했다.

"두껍아! 너는 정말 훌륭하다. 내가 조금 형편이 나아지고 위치가 달라지니까, 너처럼 약이 되는 말을 해주는 이는 점점 줄어들고, 듣기 좋은 말만 하는 이들이 늘어나더라. 변함없이 나를 일깨워주는 두꺼비 네가 정말 고맙다."

두꺼비는 큰기침을 한번 하고는 "개굴아! 너는 정말 좋은 성격과 자질을 가지고 있다. 자신에게 불편할 수도 있는 남의 말을 부담 없이 받아주고 또 들어주기는 쉽지 않거든. 남의 말, 아니 '자신의 말을 들어주는 이'에게 진정한 친구와 동지가 늘어나는 법이란다."

개구리와 두꺼비

개구리는 두꺼비의 말이 전적으로 옳다고 맞장구를 쳤다. 두꺼비는 개구리가 '지혜의 눈을 떴다'며 칭찬과 격려를 아끼지 않았다.

그러면서 "내친김에 해주고 싶은 말 세 가지만 더 해줄게. 괜찮겠니?" 하고 물었다. 개구리는 "열 가지라도 해 달라"고 말했다. 두꺼비는 도리어 긴장되는 어조로 말했다.

"개굴아! 이 세 가지는 꼭 염두에 두어라.

첫째, 따라오는 경쟁자들을 의식해라.

네가 도전할 때는 새롭고 처음이었지만 네가 시작하고 난 뒤부터는 남이 너를 경쟁자로 삼기 때문이지, 더욱더 새로워져야 한다.

둘째, 시기와 질투를 조심해라.

남들의 시기와 질투는 이유와 조건이 없어. 그냥 싫고, 밉고, 배 아파하는 상대 아닌 상대가 만드는 불평과 불만이지. 그때마다 반응하면 안 된다!

그럴 때일수록 '그 사람 나름의 이유가 있을 거다' 라고 생각하면서 마음과 행동을 다스리고 더욱 진정성 있게 다가가야 한다. 특히 공짜를 조심해라. '세상에 가짜와 진짜는 있어도 공짜는 절대 없다.'

시기와 질투를 일삼는 사람들이 파놓은 함정일 수 있거든. 꼭 돈과 물질만이 아니야 말로 파는 함정도 많고 깊단다.

셋째, 판단과 선택의 기준을 지켜라.

옳고 그르며, 좋고 나쁘며, 맞고 틀린 것 중에 판단과 선택을 할 때 언제나 옳고, 좋고, 맞는 것을 반드시 판단하고 선택을 해야 한다.

만약 판단과 선택을 할 때, 그 기준을 지키지 않고 어느 것이 나에게 유리한가, 누가 나하고 더 친한가 등 사적인 요인을 따라서 판단과 선택을 한다면, 그것은 돌이킬 수 없는 과오와 실책이 될 것이다.

두꺼비의 말을 들은 개구리는 언제나 그랬듯이 고

개구리와 두꺼비

개를 끄덕이며 동의했다. 그리고 "천금 같은 교훈으로 알고 항상 생각하고 준비하는 삶을 살겠다"고 두꺼비에게 다짐했다.

개구리의 그와 같은 밝은 모습과 다짐을 확인한 두꺼비는 "개굴아, 세상 개구리들이 너를 본받는다면, 조만간 사람들은 아이를 낳으면 '개구리 같은 예쁜 아이를 낳았다'고 할 거야" 라고 개구리를 칭찬하면서 웃었다.

개구리는 질세라 한마디 했다.

"두껍아! 너 언젠가 내게 말했지? '우리가 지금은 동무 관계인데, 앞으로 살면서 열심히 봉사하는 동지 관계로 노력한다면, 다음 세상에는 동반자 관계로 살 수도 있다'라고 말한 적이 있지?"

두꺼비는 주름 잡힌 눈을 크게 껌벅이며 고개를 끄덕였다. 두꺼비가 시인하자 개구리는 큰 소리로 말했다.

"야, 신난다. 나는 오늘부터 다음 세상에 태어나면 두꺼비와 사는 동반자 관계가 되어 달라고 쉴 새 없이 노래하고 기도할 거야.”

두꺼비는 싫지 않은 표정으로 말했다.

“어디 한번 두고 보자. 내가 대를 물려 지켜볼 것
이다.”

개구리는 “염려 말라”고 하면서 웃었다.

개구리는 두꺼비에게 감사의 인사를 했다.

“초청에 응해줘서 고맙다.”

“초청해 준 것이 고맙지, 온 것이 무슨 대수야.”

두꺼비는 그렇게 말하며 손을 내밀었다. 처음 만날

개구리와 두꺼비

때처럼 둘이는 악수를 한 번 하고는 아쉬운 듯 발걸음을 돌렸다. 다음 만남을 기약하면서….

개구리와 두꺼비의 의미 있는 약속을 전해 들은 사람들은 그날 이후부터 개구리가 울면 "개구리가 다음 생애에는 두꺼비와 살게 해달라고 소원을 빌고 있다"고 말하고, 두꺼비를 볼 때면 "개구리 색시를 맞으러 왔느냐"고 묻는다.

책을 쓰고 나서

오늘도 일찍 눈을 뜨고,《개구리와 두꺼비》의 마지막 목차를 썼다. 밝아 오는 밖을 내다보았다. 한껏 부어오른 꽃눈과 뾰족한 잎눈 위로 철 지난 봄눈이 많이도 내린다.

잎이 없는 나무들은 별 탈 없이 보이는데, 물먹은 눈꽃 송이를 무겁게 이고 진 소나무가 자태는 보기 좋지만 바람이 불까 걱정이다. 풍광을 바라보는 나와는 달리, 겹겹이 쌓이는 눈꽃을 받아들고 힘에 겨워 늘어진, 말 없는 소나무 가지의 입장이 되어본다.

'당장이라도 내려놓고 싶고, 털고 싶을 것이다. 하

지만 동물들처럼 혼자는 할 수가 없다. 그렇다고 강한 바람을 부를 수도 없는 처지다. 도리어 부러질 수도 있기 때문에…. 단지 눈이 빨리 그치고 따뜻한 태양이 비추기만을 바라고 기다리며 버티는 중일 것이라 생각된다.'

 자연도 사람도 도전과 극복의 지혜가 필요하다.
 항상 도움만 주던 저 소나무에게 우리가 조금이라도 도와줄 수 있는 방안은 없을까? 눈 덮인 하얀 세상도 알고 보면 헤아릴 일들이 많다. 하물며 복잡하고 벅찬 세상을 의미 있게 살기 위해서는 얼마나 많은 도전과 지혜가 필요하겠는가? 나의 작은 생각이 다른 이들에게도 새로운 희망의 길잡이가 될 수 있기를….

새벽 눈 내리는
하얀 세상을 바라보며
낙산에서

조일현

127

개구리와 두꺼비

초판 1쇄 발행 · 2019년 6월 15일

지은이 · 조일현
펴낸이 · 김동하
책임편집 · 김원희

펴낸곳 · 책들의정원
출판신고 · 2015년 1월 14일 제2016-000120호
주소 · (03955) 서울시 마포구 방울내로9안길 32, 2층(망원동)
문의 · (070) 7853-8600
팩스 · (02) 6020-8601
이메일 · books-garden1@naver.com
블로그 · books-garden1.blog.me

ISBN 979-11-6416-021-1 (03300)